يَرَقانَةٌ

بَيْضٌ

ماذا سَيَحْدُثُ لي
بَعْدَ ذلِكَ؟
هَلْ تَعْرِفونَ؟

شَرْنَقَةٌ

فَراشَةٌ

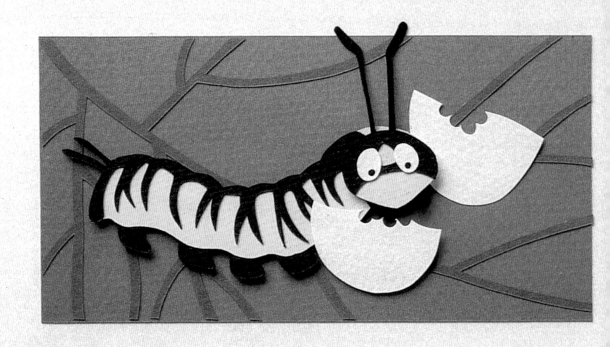

مَرْحَبًا! أَنا يَرَقانَةٌ.

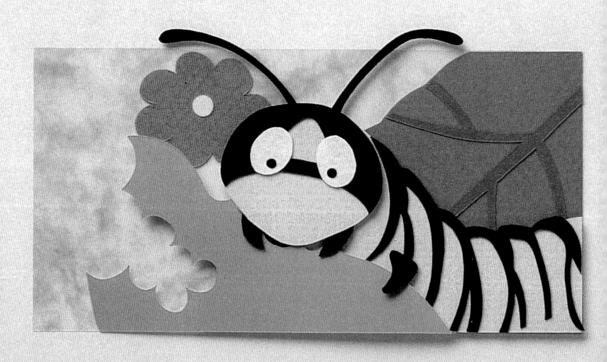

أَقْضِمُ. أَمْضَغُ.

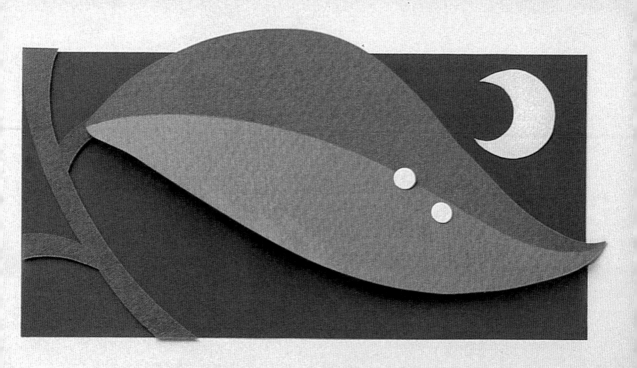

الْبُيوضُ لَها قُشورٌ رَقيقَةٌ.

الْيَرَقاناتُ الصَّغيرَةُ تَزْحَفُ إِلى الْخارِجِ.

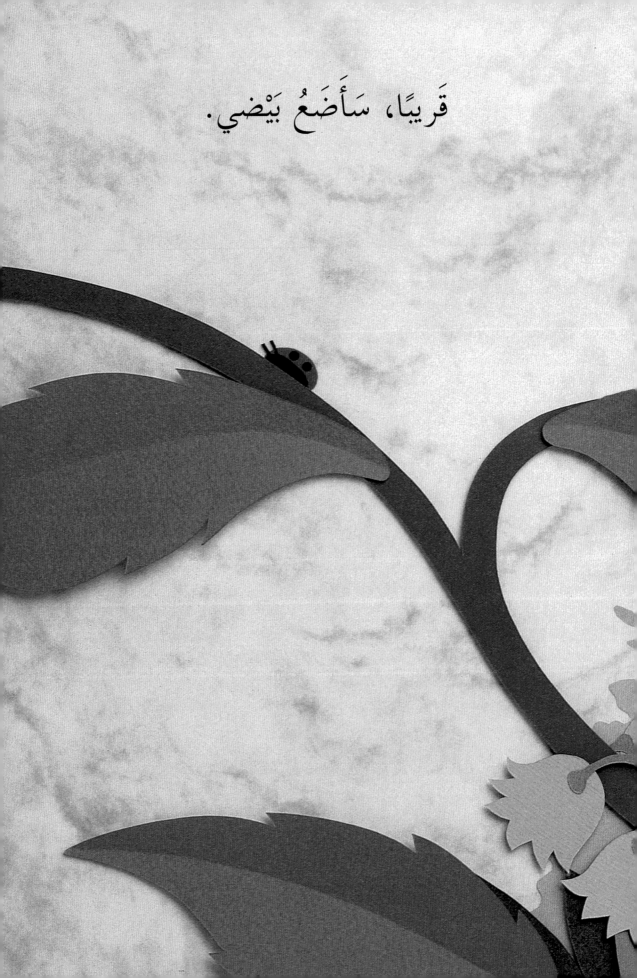

قَريبًا، سَأَضَعُ بَيْضي.

نَحْنُ لا نَخافُ مِنَ الطُّيورِ.
هِيَ تَعْرِفُ
أَنَّ طَعْمَنا كَريهٌ.

لي صَديقَةٌ.
نَزورُ الْكَثيرَ مِنَ الأَزْهارِ.

أَزورُ الأَزْهارَ.

أَمْتَصُّ الرَّحيقَ.

ما أَطْيَبَهُ!

فَمي يَعْمَلُ مِثْلَ الْمَصّاصَةِ.

يَمُصُّ.

يَمُصُّ.

يَمُصُّ.

أُرَفْرِفُ. أُرَفْرِفُ.

اُنْظُروا إِلَيَّ!

أَنَا أَسْتَطيعُ أَنْ أَطيرَ!

تْرَلْلَلا!

جَناحايَ يَجِفّانِ.

إِنَّهُما يَمْتَدّانِ.

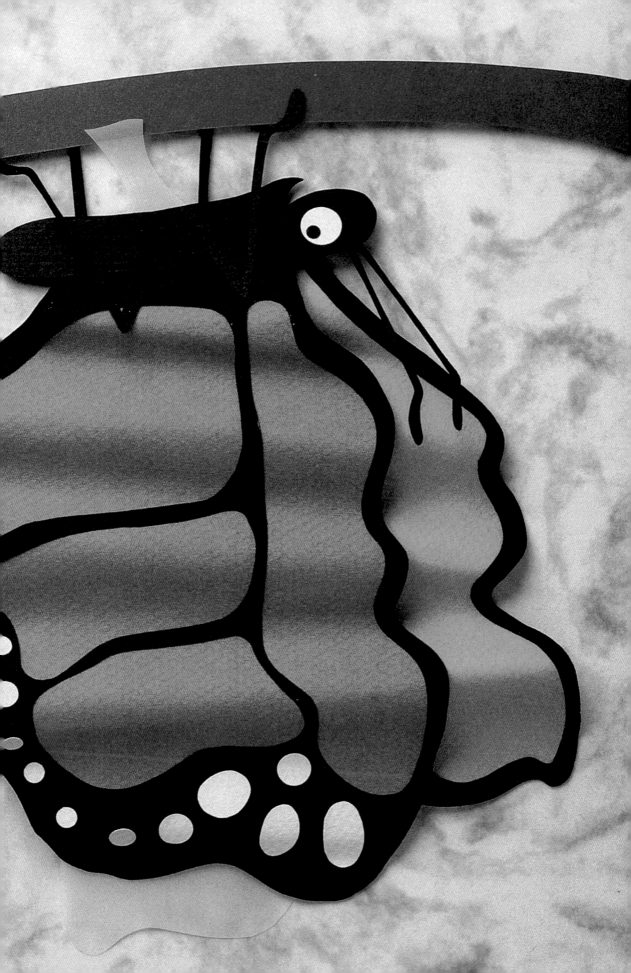

جَناحايَ مَبْلولانِ.

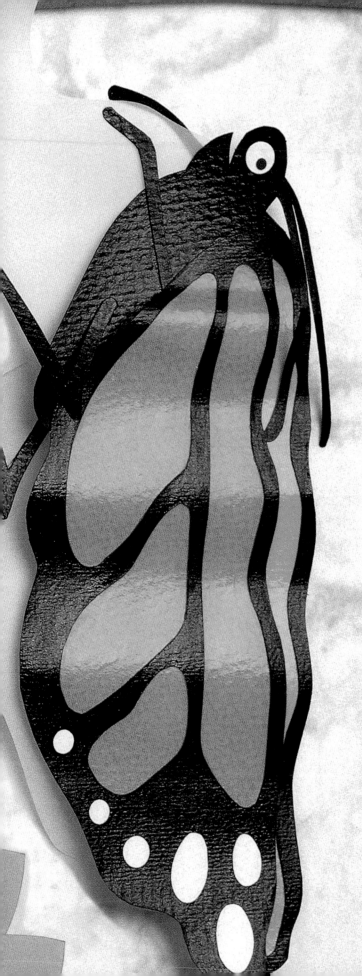

إِلى فَراشَةٍ!
أَدْفَعُ.
أَكْسِرُ.
وَأَخيرًا!
أَنا حُرَّةٌ الآنَ!

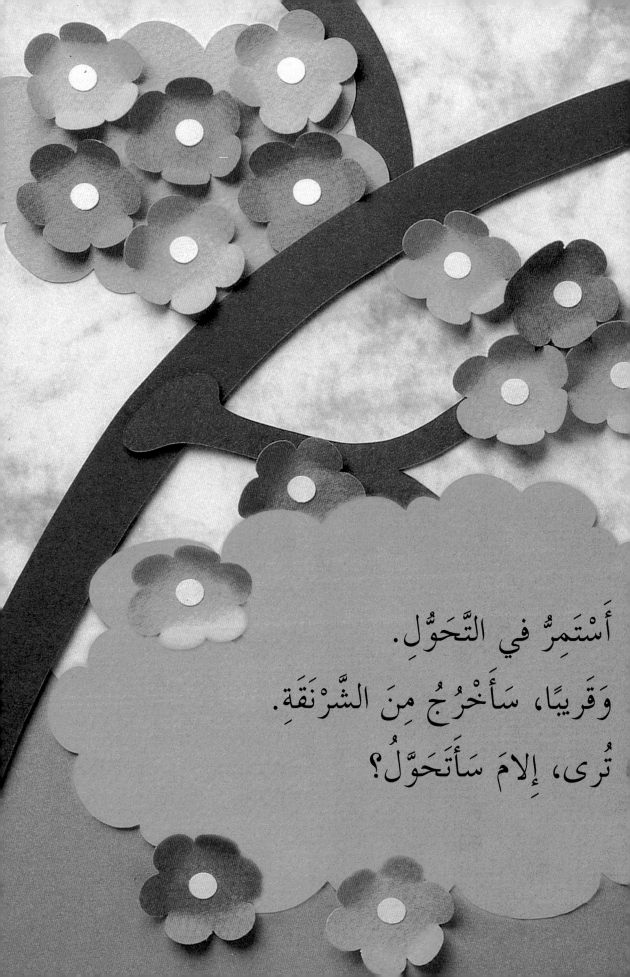

أَسْتَمِرُّ في التَّحَوُّلِ.

وَقَريبًا، سَأَخْرُجُ مِنَ الشَّرْنَقَةِ.

تُرى، إِلامَ سَأَتَحَوَّلُ؟

أَصْنَعُ قِشْرَةً
لِتَحْمِيَ الْخادِرَةَ.
أَنا، الآنَ، شَرْنَقَةٌ.

جِلْدي الْقَديمُ يَسْقُطُ بَعيدًا.

أَنا ناعِمَةٌ مِنَ الدّاخِلِ.

أُسَمّى، الآنَ، الْخادِرَةَ.

أَرْتَجِفُ.
أَتَأَرْجَحُ.
أَخْلَعُ جِلْدي!

أَنْتَظِرُ،

وَأَنْتَظِرُ،

وَأَنْتَظِرُ.

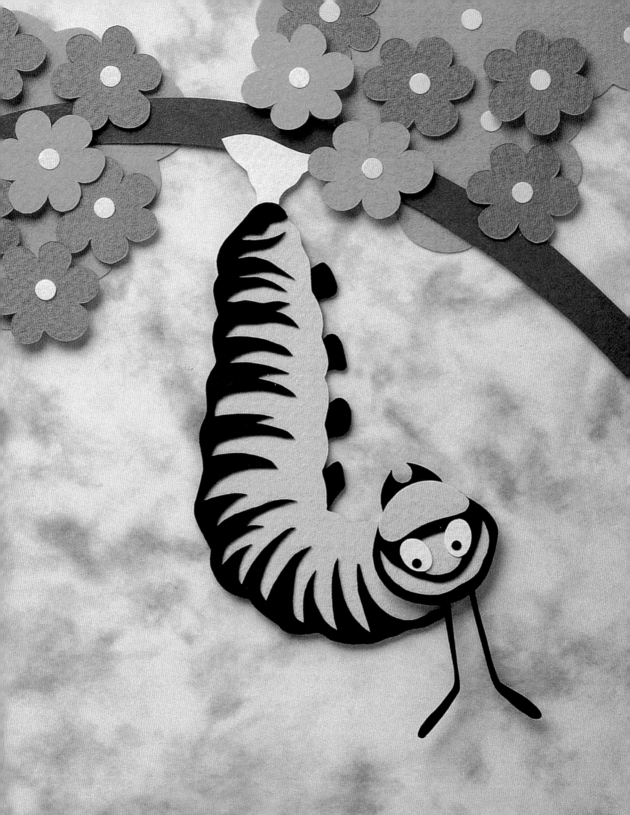

حانَ الْوَقْتُ كَيْ أَتَدَلّى مِنَ الْغُصْنِ.

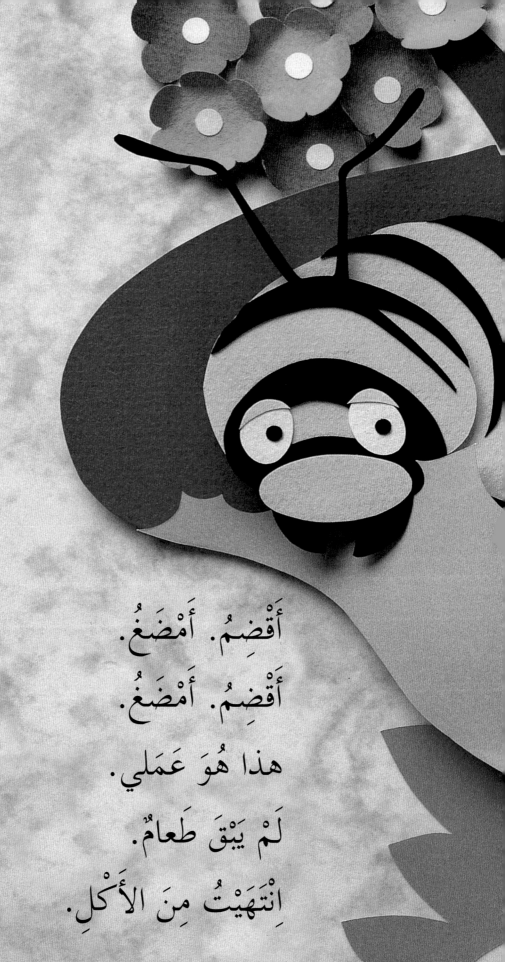

أَقْضِمُ. أَمْضَغُ.

أَقْضِمُ. أَمْضَغُ.

هذا هُوَ عَمَلي.

لَمْ يَبْقَ طَعامٌ.

اِنْتَهَيْتُ مِنَ الأَكْلِ.

إِنَّني أَكْبُرُ!
أَقْضِمُ.
أَمْضَغُ.

أَنا يَرَقانَةٌ.

أَقْضِمُ.

أَمْضَغُ.

أَنا يَرَقانَةٌ

تَأْليفُ: جين مارزوللو • رُسومُ: جوديث موفات

أَنا يَرَقانَةٌ